汤姆去海滩

[法]玛丽－阿利娜·巴文／图　　[法]克斯多夫·勒·马斯尼／文　　梅　莉／译

海燕出版社　　MANGO JEUNESSE

太棒了，这就是大海。爸爸、妈妈，快看，**大海**！

大海，你好！你是多么大呀，就像、就像、就像……大海一样！

好像大海在呼吸。

往前，往后……我往前走，我呼气。

我往后退，我吸气。往前，往后，往前……

哈，哈，哈，你能追上我吗？
大海，我比你跑得快！
来吧，大海，我俩赛一赛！

“你干什么？你疯了？”

“我才没有疯呢，我是太高兴了。”

“快看！”

“什么？”

“那边有一条船！”

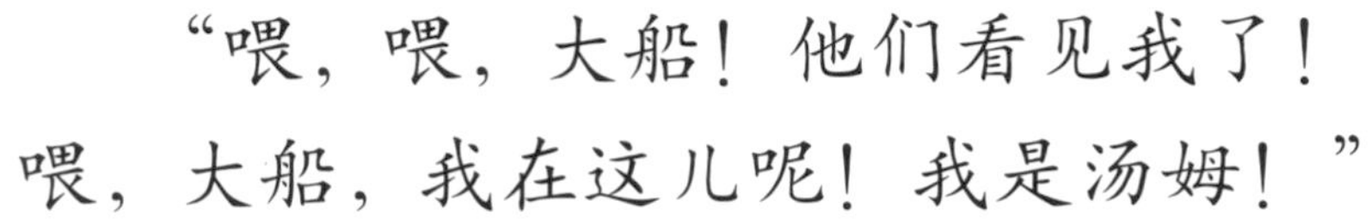

“喂，喂，大船！他们看见我了！喂，大船，我在这儿呢！我是汤姆！”

“如果他们是海盗呢？”

“那就太棒了。我要和他们一起走，我叫‘汤姆大盗’。”

“那么，我就是‘美人鱼佐艾’。”

“那我把你钓出来，放在鱼篓里。”

“先看看你能不能抓住我吧！”

“等等我。”

我跑着追佐艾，但是，她跑得太快了。**哎哟！**

扑通，我摔了个大马趴！

“佐艾，快来看啊，我在沙滩上留下的印！”

佐艾躺在我的印上。
“看！我能在里面睡觉！”
“小心，这是我的印，你会把它弄坏的！”

“我们用沙子搭座城堡，怎么样？”

“我们搭一座很高很高的城堡，到我的耳朵那么高！”

“我去拿我的铲子，一会儿就回来。”

“爸爸，我要搭一座很高很大的城堡，你能帮我吗？”

太好了，我们三个人一起挖，就会更快一点儿。
“你看，佐艾，我们的城堡正在慢慢变大。”

“爸爸，你说，我们的城堡会不会很漂亮？”
“当然了，汤姆，我们的城堡将是世界上最漂亮的城堡。”
“等等，我去拿桶。”佐艾说。

“干得真好，佐艾！你看，这样我们干得会更快些！”

“小心点儿，你把沙子都撒到我眼睛里去了！”

“我在这里建一座塔楼。”

“我们在那里再挖一条隧道，好吗？”佐艾说。

“我要是你呀，会再加上一座桥。”站在旁边的一个小男孩说道。

“行，你来帮我们一起干吧！”

佐艾有个特别棒的主意：用贝壳装饰城堡。

“我太忙了，不要打扰我！”

我的隧道挖好了，我的胳膊都能伸过去了。

爸爸也挖了一条很深的隧道，他还修了一座桥。

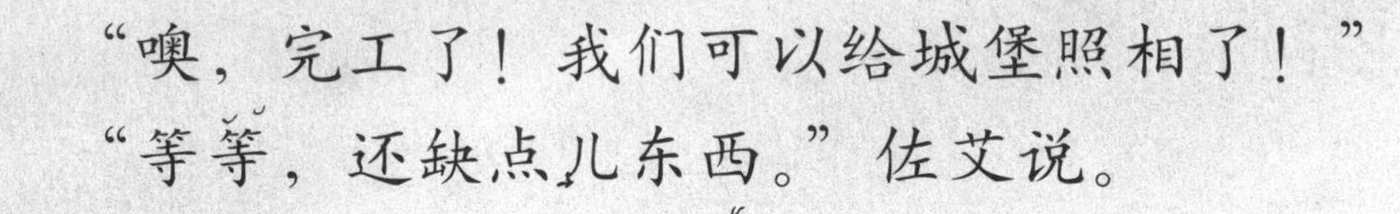

“噢，完工了！我们可以给城堡照相了！”
“等等，还缺点儿东西。”佐艾说。

咦，佐艾去哪儿了？啊，我看见她了，她正用贝壳和别人换纸花，各种颜色的纸花。

“这是个好主意！”爸爸说。
佐艾给我们带回来一大束纸花。

我俯下身子用鼻子闻了闻，一点儿香味都没有。
“你真傻！”佐艾笑着对我说，“这是纸花，当然没有香味了！”

“海水又来了，冲到了大桥下面。”
“注意，快堵住窟窿。”佐艾说。

大海要进攻我们的城堡了，但是，我们的城堡是强大的！

呀，城堡的一角被大海冲掉了。

“我的纸花都湿了。”佐艾说。

等等，我的城堡，我来给你修好。

“爸爸，救命呀，快抢救我们的城堡。佐艾，来帮帮我们。”
“不，我要抢救我的纸花。”
海水还在往上冲，冲呀，冲呀……

我们的城堡终于被冲倒了。

海浪把城堡卷走了！

该我们逃跑了！

大海只留下了一小堆沙子和佐艾的贝壳。